ARES J ETSICA, JARRES J ETSICA

AUF DEM VOLLMOND

AUF DEM VOLLMOND

ARES J ETSICA, JARRES J ETSICA

AUF DEM VOLLMOND

PENACIDADE WORDS AND WORLDS

AUF DEM VOLLMOND

Für den inhalt dieser arbeit sind ausschließlich die autoren verantwortlich

AUF DEM VOLLMOND

Fiktion

+16 ☑

+18

TECHNISCHES DATENBLATT

Verlag: Penacidade Words and Worlds

Penacidade W's&W's ist ein verlag für belletristik und sachbücher, hauptsächlich in portugiesisch, spanisch, französisch, italienisch, rumänisch, deutsch, englisch und niederländisch

Und das hauptziel ist es, alle drei monate ein neues buch zu veröffentlichen

Co-Autor: Ares Jonor Etsica

Linguist, geboren in Mesen (@Westflandern-Belgien)

Langjähriger liebhaber von Sci-Fi, Spannung und Drama

Lebt in der stadt der liebe, Paris

Mitglied des Penacidade Words and Worlds-team

Co-Autor: Jarres Jonor Etsica

Fotograf, geboren in Mesen (@Westflandern-Belgien)

Langjähriger liebhaber von Romantik, Fantasy und Comedy

Lebt zwischen Waiouru, Kalgoorlie-Boulder und Singapur

Mitglied des Penacidade Words and Worlds-team

Übersetzer: Ares Jonor Etsica

Cover-Editor: Jarres Jonor Etsica

Penacidade Words and Worlds:

.

.

📚🛒WHATSAPP
https://wa.me/c/351910366769

.

📚TUMBLR
http://penacidade-words-and-worlds.tumblr.com

.

📚🛒ABOOKATIME
>https://instagram.com/ABOOKATIME
>https://fb.com/ABOOKATIME/photos

.

📚🛒🛍BOOKSHOP
>https://bookshop.org/shop/penacidade-words-and-worlds
>https://uk.bookshop.org/shop/penacidade-words-and-worlds

.

📚FACEBOOK
https://fb.com/Penacidade

.

📚🛒🛍FEIRADIGITALEVENTOSANGOLA
https://feiradigital.eventosangola.com/store/Penacidade

.

📚FLICKR
https://flickr.com/people/penacidade-words-and-worlds

.

📚INSTAGRAM
https://instagram.com/penacidadeworlds

.

📚PINTEREST
https://pinterest.com/penacidadeworlds

.

📚TELEGRAM
https://t.me/penacidadeworlds

.

📚TWITTER
https://twitter.com/penacidadewords

.

📚VERO
https://vero.co/penacidadeworlds

.

📷Shops near you!! - @penacidadeworlds
https://instagram.com/s/aGlnaGxpZ2h0OjE3OTIzODY5Mjk1NjQwODMz

📚To see || 🛒To buy || 🛍To pick up || 📷To screenshot shops

.

.

#search
a Lovely sense

Penacidade W's&W's
TEMPORADA || SAISON || SEASON || STAFFEL
4

AUF DEM VOLLMOND

INHALTSVERZEICHNIS

VORTEXT ELEMENTE

TEXT ELEMENTE

AUF DEM VOLLMOND

WIDMUNG

An unserem vater für die stärke und hingabe, die er immer in der weisheit zeigt, mit der er seine ideale verteidigt.

An unsere mutter, die auf jedes problem eine antwort hat und das herrlichste synonym für heimat ist.

An unsere schwester, für die inspiration, die sie als schwester, aber vor allem als schriftstellerin war.

An unseren bruder, für das facettenreiche wesen, das er ist, und dafür, dass er uns jeden tag beweist, dass das menschlich mögliche menschlich unmöglich war.

Der teich teich

teich teich teich

Küsse von denen, die immer scheitern. Küsse, die wehtun, wenn sie gegeben werden. Küsse, die ertrinken, wenn man sie nicht umarmt. Ihr kinn hat immer noch ein grübchen. Dein lächeln ist immer noch dasselbe.

Und lass alles ändern. Und nichts anderes kann haften bleiben. Und diese bisse. Dass sie in meinem herzen in frieden sind.

3 Silbe. Kleine silbe. Meine kleine silbe. Ich sehe dein gesicht eingebettet in diese fast süßen tropfen. Sie sind

jedoch weniger bitter als sie. Wenn alles, was ich dir sage, wir tun müssen, werden wir ein schloss bauen, um darin zu leben.

Währenddessen singt der wind entzückt alle seidenschnüre. Von meinen.

Ich habe gerade gemerkt, dass ich eingeschlafen bin. Kurz bevor ich aufwache. Und als sie aufwachten, waren sie asymmetrisch unter dir. Ein gesicht, das die kalte empathie und apathie hervorbrachte, unruhig mit mir vermischt.

6 - Wer bist du?- Frage ich mit einem ton knapp über dem gemurmel.

Sie macht genau dieses ding seltsam, seltsam, seltsam.

Schenke ein vernichtendes lächeln.

Und sobald sich mein körper erwärmt und kleine tröpfchen zu tropfen werden und tropfen wie eisige ozeane unter feinen decken werden, die später selbst die sieben winde nicht erschüttern konnten.

Im moment lässt ihr wind meine augenbrauen, meine wimpern, meine augen schweben.
Als ich wieder aufmache, sehe ich sie nicht mehr. Wer wird sie sein? Warum erinnere ich mich nicht, sie gesehen zu haben? Werde ich sie wiedersehen können?

Ich stehe irgendwie auf und verändere die aussicht auf alles um mich herum. Der dezente grüne boden, die blütenblätter in vier magenta-tönen und die orangefarbene sonne eingebettet in blättergesichter.
Aber erst nachdem ich sie geschlossen habe, dass ich wirklich den klang der singularität höre, wo ich bin.
Vom zeitweiligen klatschen bis zum zauber der sonnenbeschienenen stille der hohen gipfel, die nachts den mond verbergen.

AUF DEM VOLLMOND

Die abschlussball

abschlussball abschlussball

Die beste neumondnacht ist die, in der der ball stattfindet. Bürger und bürger werden kommen, um mich zu sehen.

Oh meine kleine silbe. Warmes unglück, sie nehmen in ihnen zu. Wohin du mich auch bringst, bereue es nicht. Nur ja, du gibst mir die jade der adern.

3 Als traum. Ich war so euphonisch, dass mein mund sprach, aber nicht meiner.

Sogar dein atem gibt ekstase. Perfekte frau. Du sprichst und schreibst. Sie haben zugriff. Sie haben verfügbarkeit.

Tausend gründe, dich zu verlassen, sind endlos, um dich zu lieben.

Das bett bett

bett bett bett

Schimpfhafte lippen, die sie berührten und die ich jetzt nicht vergessen werde. Pascasio liegt bei mir. Eine kriegerische säge, deren wurzelkrause erbarmungslos auf meiner haut zuckt.

Die büsche entkleiden sich und der wind bringt seine seidenzebras dazu, über die sandschirme zu laufen.

3 Oh meine kleine silbe. Wie sehr vermisst du sie. Um äpfel zu probieren, neben deinen spiegelhälften. In die traumdermis des pfirsichs zu schlüpfen. An den

wellenförmigen pigmenten am unteren ende Ihres mundes zu schnüffeln. Zum basteln.

So viele monde, ohne sie zu öffnen. Schon hier umarmte die knappheit. Wenn jemand an sandsieben zieht. Ich öffne sie und verliere mich im vermächtnis deines lächelns.

Sie beabsichtigen, zu dir zu fliehen. Da sie auf mich schießen und mich schubsen, heben sie mich hoch und nerven mich, bis ich neben dir stehe.

6 Silbe. Große silbe. Meine große silbe. Der rest deiner spur auf meinem gesicht bleibt nie, weder der rand noch die luft noch der duft.

Als traum. Ich frühstücke abends, um keinen schlafwandeln zu machen. Es gibt schmerzen und schmerzen, aber unter den größten sind die, die du mir gibst. Und du hast kein mitgefühl. Kalte haut, die endet.

Es macht meinen frieden weisheit..... Mein tag. Immer umarmen, als wäre es das letzte mal! Ich will dich, aber ich habe angst. Ich respektiere dich, aber ich will dich. Die schönste kante wird immer die sein, die dir das beste bringt, deinen fliegenden kuss.

Ich habe dich bei vollmond geliebt, nur weil dein lächeln den mond erneuert hat.

AUF DEM VOLLMOND

Der schnee schnee

schnee schnee schnee

Abgründiger lodernder heide-nevada-nebel, ein spiel mit drei oder vier bechern, einer von schokoladencreme, noch eine erdbeercreme, noch ein frischkäse, noch eine passionsfruchtcreme, meine große silbe, der die augen verbunden werden müssen, und sie muss im schoß meiner kleinen silbe bleiben, wenn sie es richtig macht, kann sie mir ein kleidungsstück abnehmen, wenn sie mich vermisst, kann ich sie küssen, wo immer ich will, ich glaube, die löffel hatte ich schon absichtlich vergessen, ich benutze meinen zeigefinger, um es ihr zu beweisen, ich werde jedoch nie müde, ihre einfache atmung zu betrachten, hören sie die ecke dieses blicks, wütendes herz, wild und ruhig, so viele zweideutigkeiten für diese zeit. auge lächelt, feurige blicke, sieht aus wie nie wieder verändert, berührt, wie nie wieder berührt worden, stellen sie sich jetzt die sehnsucht vor, die ich hatte, um zu wissen, dass sie direkt vor mir sind, und ihre phalangen schlängeln sich durch die dermosa, und die ölige dermis, und ihre galant sprechenden phalanxen, die die nie-basis meiner kleinen silbe blenden, meine sehr ungewöhnliche silbe, große silbe, meine große silbe, ohne einen funken mitleid.

AUF DEM VOLLMOND

Lightning Source UK Ltd.
Milton Keynes UK
UKHW010824190522
403237UK00001B/93